magiciens
en herbe

LA MAGIE FACILE avec le corps et l'esprit

Stephanie Turnbull

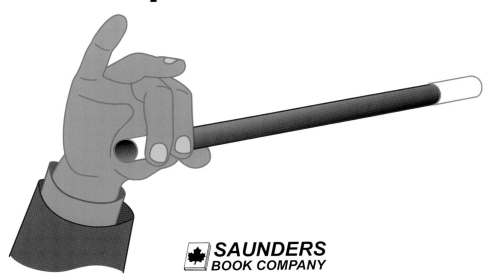

SAUNDERS
BOOK COMPANY

Publié par Saunders Book Company,
27 Stewart Road, Collingwood, ON Canada L9Y 4M7

Un livre de Appleseed Editions

Imprimé aux États-Unis
par Corporate Graphics à North Mankato, Minnesota.

Conçu et illustré par Guy Callaby
Édité par Mary-Jane Wilkins
Traduit de l'anglais par Anne-Sophie Seidler

Catalogage avant publication de Bibliothèque et Archives Canada

Turnbull, Stephanie
[Easy mind and body tricks. Français]
      La magie facile avec le corps et l'esprit / Stephanie Turnbull.
(Magiciens en herbe)
Comprend un index.
Traduction de : Easy mind and body tricks.
ISBN 978-1-77092-312-6 (relié)
      1. Prestidigitation--Ouvrages pour la jeunesse. I. Titre.
II. Titre: Easy mind and body tricks. Français.
GV1548.T8614 2015   j793.8   C2015-902585-0

Crédits photos
h = haut, b = bas
page 2 iStockphoto/Thinkstock, 4 alexkatkov/
Shutterstock; 5h Stocksnapper/Shutterstock,
b Borislav Toskov/Shutterstock; 11 Steve
Collender/Shutterstock; 20 iStockphoto/
Thinkstock
Couverture : cuillère Big Pants Production/
Shutterstock, cubes et baguette
Comstock, visage Hemera, rideau rouge
iStockphoto/tous Thinkstock

DAD0508z
032015
9 8 7 6 5 4 3 2 1

Table des matières

Pas besoin d'accessoires coûteux
pour réaliser de super tours de magie!
Tu as juste besoin de toi-même!
Les tours présentés dans ce livre
sont faciles à apprendre, rapides à
exécuter et impressionnants à voir!

Trucs et astuces

Dans chaque
chapitre, cet
encadré te donne des
conseils pour bien réussir
ton tour de magie.

*Si tu es souple ou sportif, essaie
de combiner les tours de magie
avec de la danse, des mimes
ou des numéros
de gymnastique.*

En plaçant tes mains comme ceci, cela donne l'illusion que ton pouce s'est détaché!

Mais c'est impossible!

Tu peux réaliser des tours en bougeant ton corps ou en te tenant d'une certaine manière, et tu peux également en réaliser d'autres en te servant des lois de la physique. Cela trompe le public, car ces tours lui donnent l'impression que quelque chose d'impossible est en train de se passer sous ses yeux.

Secrets de magicien

Dans cet encadré, découvre les secrets des plus grands magiciens... mais chut! C'est top secret!

Ton spectacle

Il faut t'exercer, même pour les tours de magie faciles, car ils ne fonctionnent bien que si tu es très sûr de toi. Si tu arrives bien à jouer la comédie, les spectateurs croiront vraiment que tu es très souple ou que tu contrôles leurs pensées.

Tu peux également porter un déguisement qui fait peur pour réaliser les tours de magie avec l'esprit.

Fais une entrée remarquée avec des tours d'illusionnisme abracadabrants!

1. Cache-toi derrière le cadre d'une porte et tiens-toi debout contre le mur. Lève une jambe et penche-toi le plus possible pour que le haut de ton corps soit complètement de travers.

2. Fais semblant de te retenir au cadre de la porte, comme si quelqu'un essayait de tirer sur tes jambes.

> *Au secours!*
> *Ils m'ont attrapée!*

Secrets de magicien

Souvent, les magiciens jouent les maladroits pour, en réalité, surprendre avec des tours habiles.

Aaaaah!

3. Fais comme si l'on te tirait complètement et disparais lentement à la vue du public.

4. À présent, retrousse une manche et enfile un gant. Passe la tête dans le cadre de la porte tout en gardant le bras déguisé caché.

Quoi...? Oh non!

Désolée pour ce contretemps! Je crois que je m'en suis débarrassée.

5. Tout en parlant, attrape-toi le cou avec la main gantée. Donne l'air d'être surpris, tandis que la main t'entraîne à nouveau derrière la porte!

Rajoute des bruits de bagarre pour faire rire le public.

Garde ton coude caché.

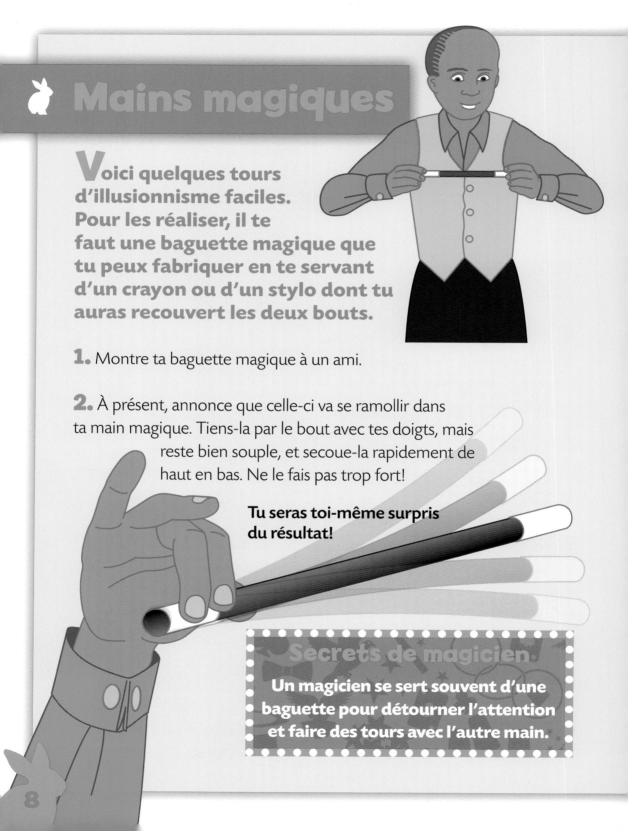

Mains magiques

Voici quelques tours d'illusionnisme faciles. Pour les réaliser, il te faut une baguette magique que tu peux fabriquer en te servant d'un crayon ou d'un stylo dont tu auras recouvert les deux bouts.

1. Montre ta baguette magique à un ami.

2. À présent, annonce que celle-ci va se ramollir dans ta main magique. Tiens-la par le bout avec tes doigts, mais reste bien souple, et secoue-la rapidement de haut en bas. Ne le fais pas trop fort!

Tu seras toi-même surpris du résultat!

Secrets de magicien

Un magicien se sert souvent d'une baguette pour détourner l'attention et faire des tours avec l'autre main.

3. Ensuite, annonce que tu vas utiliser tes pouvoirs pour faire bouger la baguette sans la toucher. Place-la doucement sur la table et frotte ou plie les mains de manière théâtrale.

Bouge ta main en même temps que la baguette.

4. Effectue un mouvement de balayage au-dessus de la baguette magique comme pour la faire bouger. Rapproche ta main d'elle à mesure que ta concentration augmente. Lorsque tu es bien sûr que ton ami observe la baguette, souffle tout doucement, lentement, et de manière continue sur la baguette, elle se mettra à rouler!

Entraîne-toi à souffler sans faire bouger les lèvres.

Ce tour est très réaliste.
Exerce-toi devant un miroir
pour t'en rendre compte.

1. Annonce à ton ami que tu as
des pouces extrêmement souples!

2. Cache le pouce gauche dans le poing
droit. Place en même temps ton pouce
droit entre l'index et le majeur.

Voici ce que tu vois.

Et voici ce que ton ami voit
de son côté :

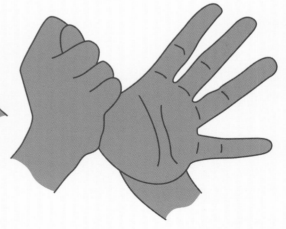

**Pouce gauche
caché dans
le poing.**

**Pouce droit
entre les doigts
de la main
droite.**

On a l'impression que le pouce est relié
au reste de la main, mais il ne l'est pas.

3. Fais semblant de tirer fort sur le pouce avec ton poing. Soulève doucement la main droite, on dirait que le pouce s'allonge...

et s'allonge...

... jusqu'à ce que le bout de ton pouce gauche reste toujours caché par le poing droit.

Aaaaaah!

Remue les doigts de la main gauche et le pouce droit ensemble, on dirait que c'est la même main!

Secrets de magicien

Les magiciens utilisent parfois des capsules de faux sang pour faire croire qu'ils se blessent eux-mêmes!

Pour finir, fais redescendre ton poing pour que ton pouce retrouve sa taille normale.

11

Bras magiques

Ces tours donneront l'illusion que tu possèdes une force surhumaine!

1. Place tes deux poings l'un contre l'autre et maintiens-les ainsi serrés.

2. Lance le défi à un ami de te séparer les deux poings en tirant sur l'intérieur de tes coudes. Il n'y parviendra pas!

12

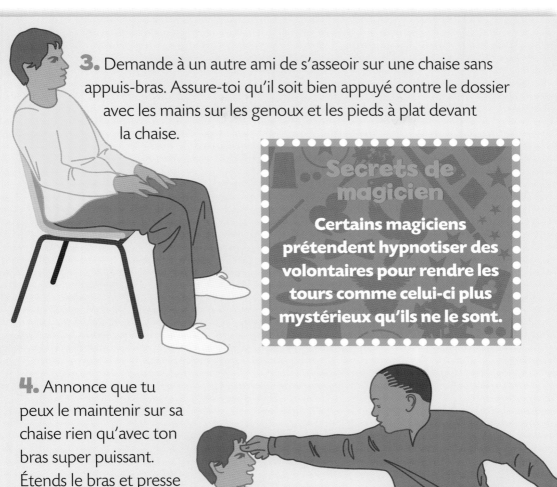

3. Demande à un autre ami de s'asseoir sur une chaise sans appuis-bras. Assure-toi qu'il soit bien appuyé contre le dossier avec les mains sur les genoux et les pieds à plat devant la chaise.

Secrets de magicien

Certains magiciens prétendent hypnotiser des volontaires pour rendre les tours comme celui-ci plus mystérieux qu'ils ne le sont.

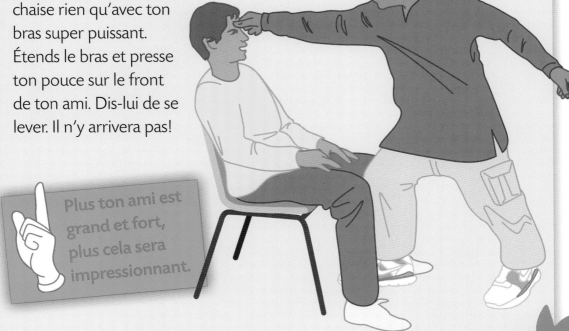

4. Annonce que tu peux le maintenir sur sa chaise rien qu'avec ton bras super puissant. Étends le bras et presse ton pouce sur le front de ton ami. Dis-lui de se lever. Il n'y arrivera pas!

Plus ton ami est grand et fort, plus cela sera impressionnant.

Maîtrise du corps

Maintenant, prétends que ton esprit est aussi puissant que ton corps.

1. Demande à un ami de s'appuyer contre un mur avec son côté gauche et son pied gauche. Annonce que tu peux diriger son corps.

2. Montre son pied droit et demande-lui de le soulever du sol pendant cinq secondes. Il ne pourra pas!

3. Ensuite, dis à ton ami de presser très fort son bras gauche contre le mur. Pendant qu'il appuie, compte lentement jusqu'à 20.

Concentre-toi très fort comme si tu avais des pouvoirs mentaux.

4. À présent, demande-lui de s'écarter du mur et de laisser pendre ses bras le long du corps.

Montre le bras et ordonne-lui de se soulever. Il va commencer doucement à monter!

Secrets de magicien

Le bras de ton ami se soulève, car ses muscles continuent à pousser vers l'extérieur, même si le mur n'est plus là. Essaie toi aussi!

Ce tour de télépathie est très risqué, car il part du principe que ton ami choisira une réponse évidente. Généralement, cela marche!

1. Demande à un ami de penser à un chiffre entre un et dix.

2. Dis-lui de le multiplier par neuf. Si la réponse est à deux chiffres, il faut qu'il additionne ces deux chiffres en plus.

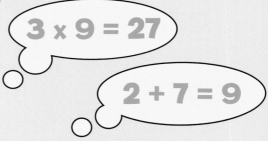

Ce qu'il ne sait pas, c'est qu'on obtient toujours le chiffre neuf.

3. À présent, dis-lui de retrancher cinq et de penser à la lettre de l'alphabet qui correspond à ce chiffre (1 = A, 2 = B, etc.).

Tu sais d'avance que ce sera D.

4. Ensuite, demande à ton ami de penser à un pays commençant par cette lettre. La plupart des gens penseront au Danemark, car c'est la réponse qui vient en premier.

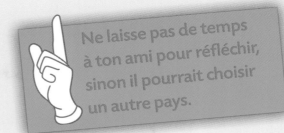

Ne laisse pas de temps à ton ami pour réfléchir, sinon il pourrait choisir un autre pays.

5. Demande-lui de choisir la lettre suivante dans l'alphabet et de penser à un animal qui commence par cette lettre...

Danemark

Éléphant

Plusieurs animaux commencent par un E, mais éléphant est généralement celui auquel on pense en premier!

6. ... et concentre-toi sur la couleur de l'animal. Prétends que tu vas lire ses pensées, et annonce la couleur que tu « vois »!

Gris!

Secrets de magicien

Le mentaliste se sert de cette technique de déduction (probabilité). Si elle ne fonctionne pas, il passe vite à un autre tour.

Force mentale

Prétendre pouvoir tordre une cuillère avec la force de l'esprit est un tour de magie classique. En voici une version.

1. Sous la table, tiens discrètement une pièce de dix cents dans ta main gauche, comme sur le dessin. Ne la montre pas à ton ami.

2. Prends une petite cuillère dans la main droite et montre à ton ami que c'est une cuillère ordinaire.

3. Saisis-la avec les deux mains, la main gauche en haut. En même temps, fais dépasser légèrement la pièce de monnaie pour qu'on croie que c'est le bout du manche de la cuillère.

Fais se chevaucher tes mains pour que la cuillère ne paraisse pas trop longue.

Secrets de magicien

Les magiciens se servent de trucs habiles pour « tordre » le métal, comme d'une cuillère tordue cachée dans leur main ou d'une cuillère ramollie avant le tour.

4. Appuie la cuillère sur la table. Presse doucement vers l'avant, en faisant glisser le manche entre tes doigts. Vu de devant, le manche semble se tordre.

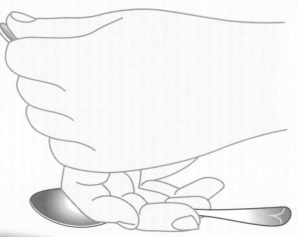

Vue de côté.

Veille à ce que ton ami soit assis en face de toi pour qu'il ne voie pas le manche.

5. Lorsque tu as « tordu » la cuillère autant que possible, annonce : « *Maintenant, je vais la redresser!* » et soudainement, tu la lances sur la table.

Fais tomber discrètement la pièce de monnaie sur tes genoux pendant que ton ami examine la cuillère.

19

Réalise ce super tour de lévitation dans une pièce faiblement éclairée ou à l'extérieur à la tombée de la nuit.

1. Place-toi debout dans un espace dégagé à une certaine distance de ton ami, par exemple à l'autre bout de la pièce. Arrange-toi pour que ton pied gauche, à l'exception du talon, ne soit pas visible par ton ami.

Secrets de magicien

Les magiciens qui volent utilisent en réalité des câbles fins ou des supports cachés.

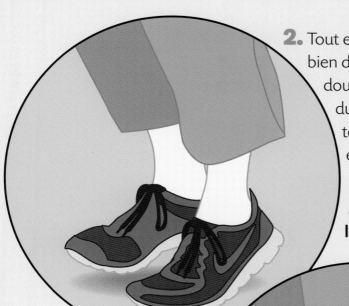

2. Tout en gardant les jambes bien droites, monte tout doucement sur la pointe du pied gauche. En même temps, soulève le pied droit entier à l'horizontale.

Garde les talons collés ensemble et cache bien les orteils du pied gauche.

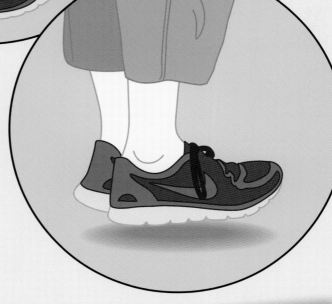

Voici ce que ton ami voit : les deux pieds qui se soulèvent du sol. Ils ne se soulèvent que légèrement, mais c'est vraiment impressionnant.

3. Tiens ainsi pendant quelques secondes, puis redescends tout doucement. Fais semblant d'être épuisé après ce gros effort mental!

Ne « flotte » pas trop longtemps et ne le fais jamais deux fois! Une fois la surprise passée, ton ami pourrait comprendre le truc.

baguette magique
Accessoire de magie. La plupart servent juste à détourner l'attention, d'autres, par contre, ont des parties démontables ou des espaces creux pour y cacher des objets.

hypnotiser
Mettre quelqu'un dans un état entre le sommeil et l'éveil. Sous hypnose, on peut amener la personne à changer son comportement ou ses pensées.

illusionnisme
Art de tromper le spectateur grâce à des tours de magie.

lévitation
Lorsqu'un objet ou une personne est suspendu dans l'air sans appui.

mentaliste
Magicien qui fait semblant d'effectuer des tours de magie à l'aide de son esprit.

télépathie
Transmission de pensée à distance entre des personnes.

probabilité
Mesure du nombre de chances qu'une chose se produise dans telle situation.

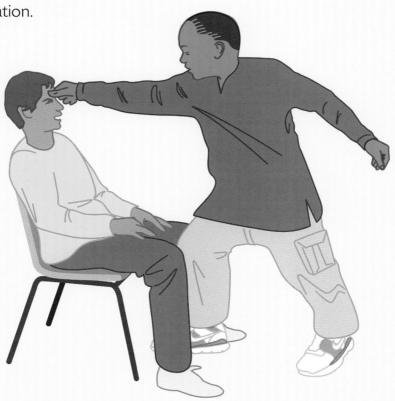

Index